In loving memory of Sir Sedric Gregg.

Email: iggixmds@gmail.com

ISBN 978-1-7347-5260-1

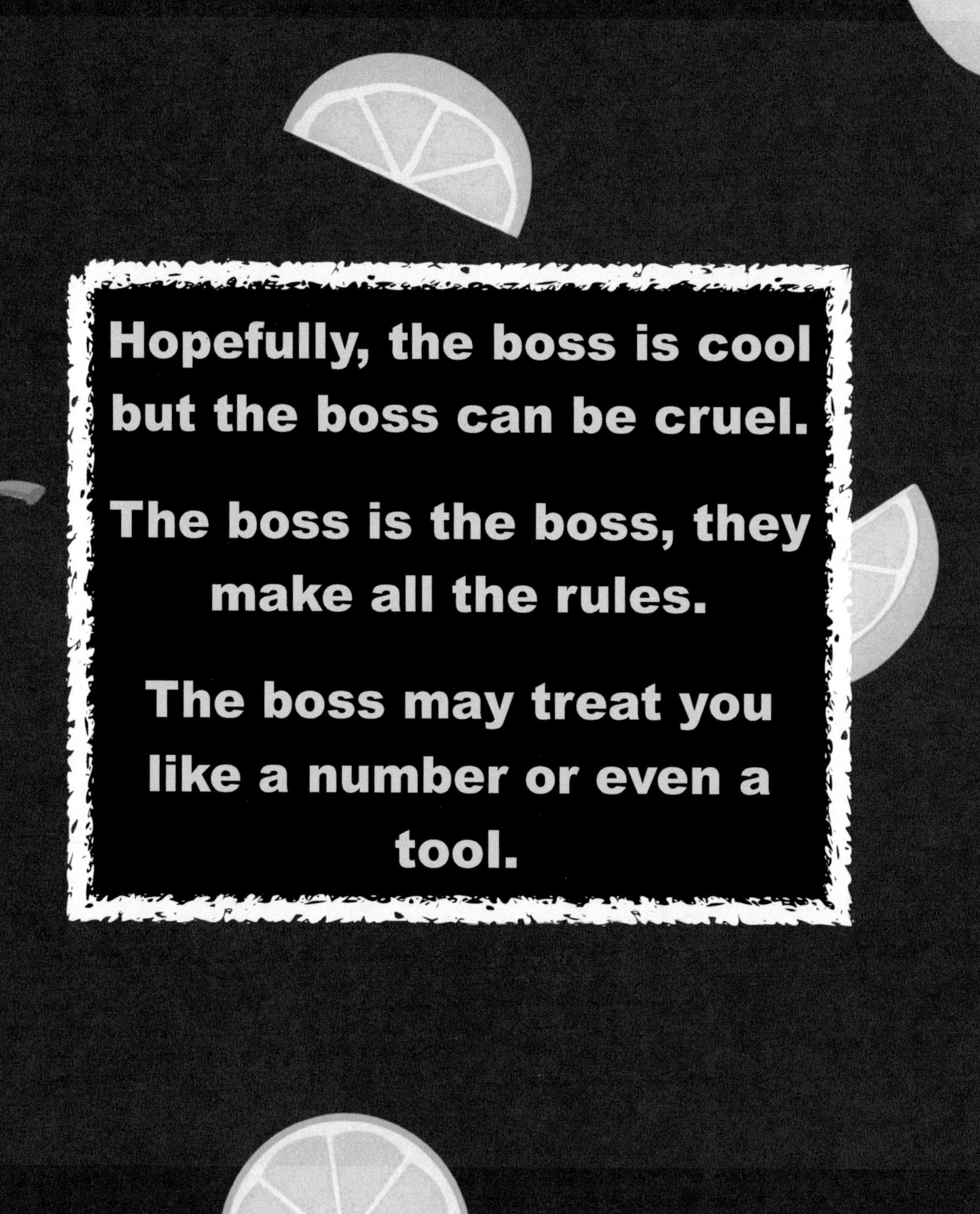

Hopefully, the boss is cool but the boss can be cruel.

The boss is the boss, they make all the rules.

The boss may treat you like a number or even a tool.

With repetition, these concepts can be grasped by the youngest readers. Please don't underestimate children's intelligence.

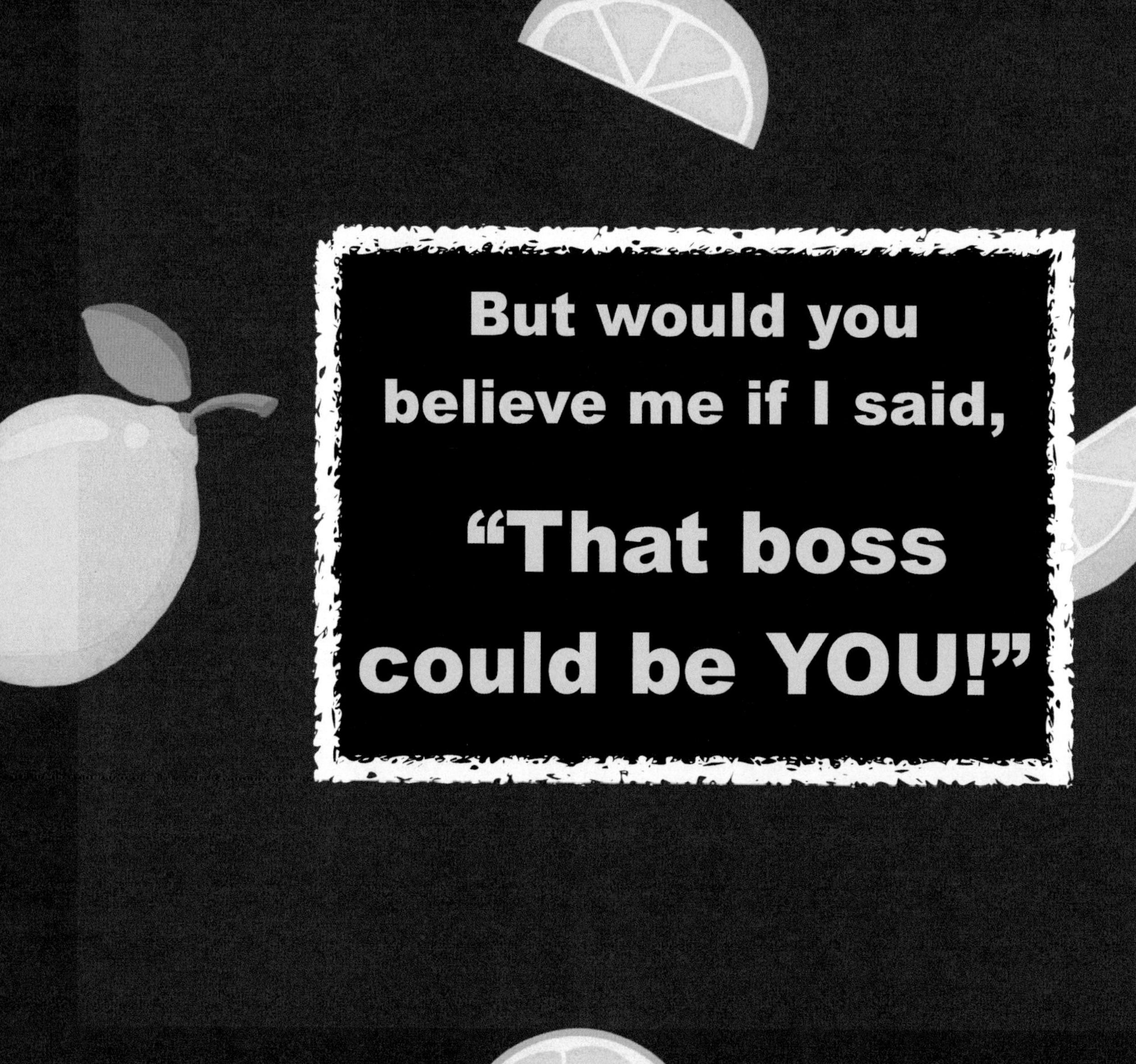

But would you believe me if I said,

"That boss could be YOU!"

You can start your own business. You can build a team.

You can build your own, instead of someone else's dream.

Lemonade

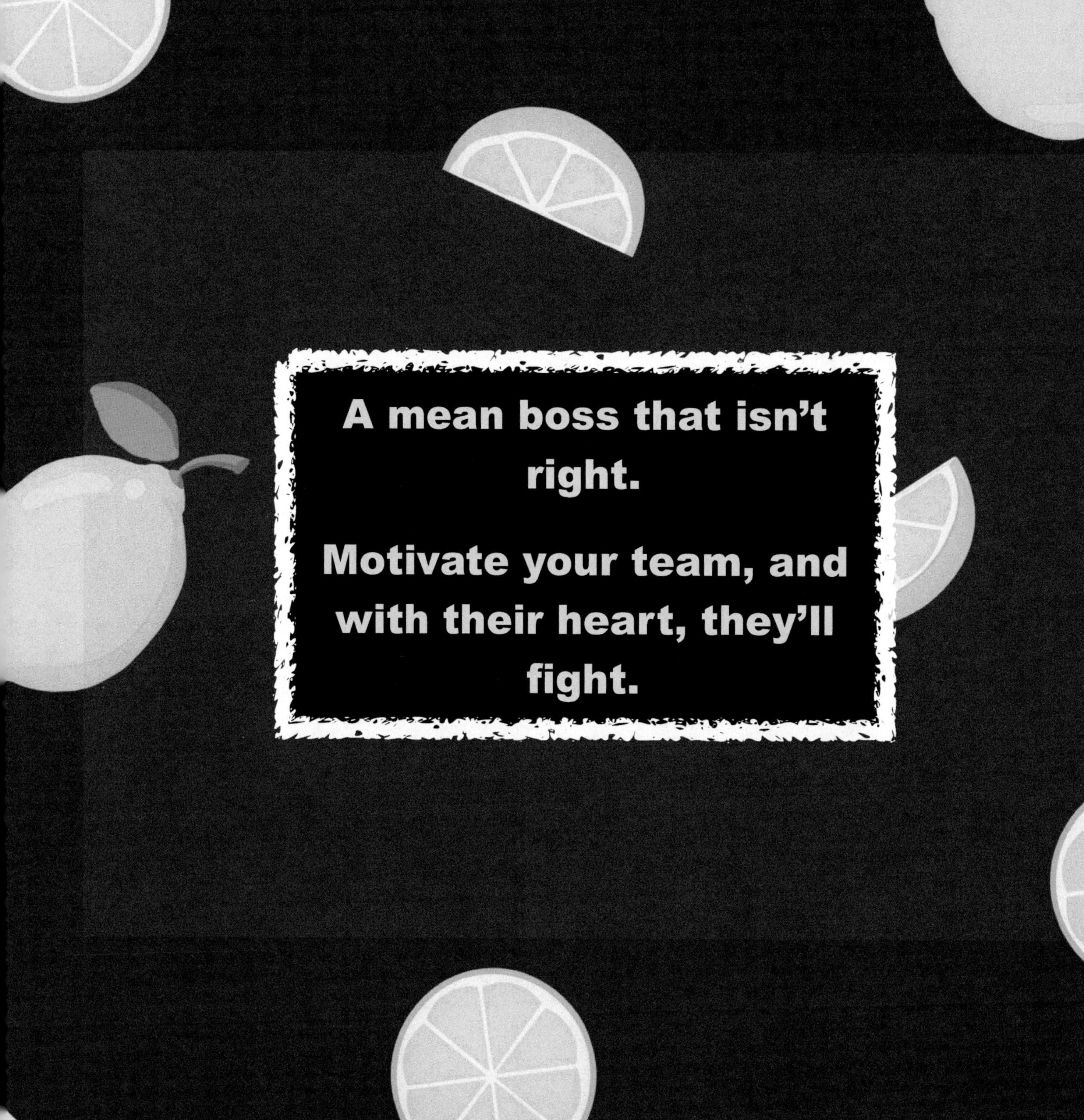
A mean boss that isn't right.
Motivate your team, and with their heart, they'll fight.

Lemona

Don’t hold yourself back. There are no limits in sight.

Hustle through the day and try with all your might.

Happiness can't be bought, yeah, we know that's right.

But financial stability will encourage a better life.

Be sure to give as much as you take.

Giving and receiving are both important plays.

Stack up your funds and what comes next?

Become an investor, that's a passive check!

Invest your money in the right person and they'll increase it, that's for certain.

Did I mention this happens without you working?

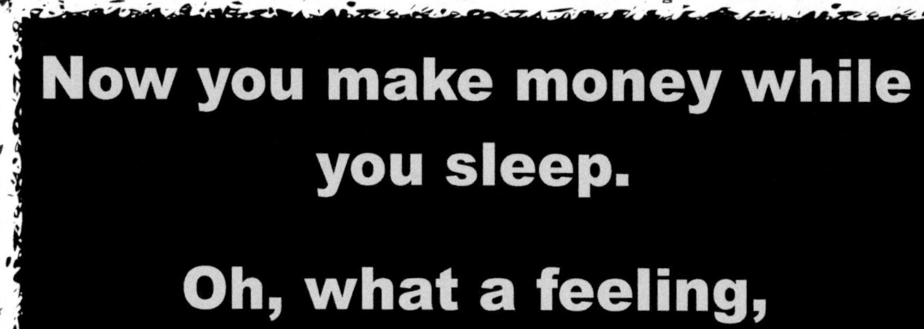

Now you make money while you sleep.

Oh, what a feeling,

YOU'RE FINANCIALLY FREE!

GAMES AND

ACTIVITIES

FIND THE HIDDEN OBJECTS

2 PITCHERS OF LEMONADE 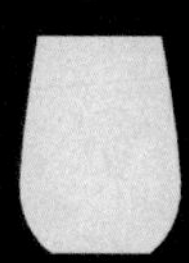

3 GREEN HEARTS 

3 LEMON SLICES 

3 BLUE STARS 

Lemonade

WORD SEARCH

BOSS
FINANCIAL FREEDOM
GIVE
HAPPINESS
HUSTLE
INVEST
LEMONADE
LOVE
PASSIVE INCOME
TEAM
WEALTH

T X F S U U G P L F X V D L M N L Z L J
V A O I J P E O Q N L V F R N Z K K X S
K L C I N K S X I F U L E Q H D A J E Y
H R B X G A W G B Q U B Q Q R V E O T Z
I T N O C J N E Q A E Z Q L X V O I N P
R Z A M S L G C A A A C V E W Q M D U A
R J T G X S H F I L U A V M S D T V I S
C F E L G I P X Q A T L W O V I Z X M S
A W A X H L R G B I L H I N M W O G U I
T Y M N P H Z N B N Z F S A Q N L P I V
Q F H D S A V H G Z C Q R D L N C J Y E
K M Y G C P O O Y C U N G E C I U P V I
P Y I V Z P Q V L O V E H M E A D B W N
W Y H Q C I G S K F W W Z F T D O D V C
S P O Q C N S H X Y Z X S K L S O U U O
O Q T R J E W C R I N V E S T U I M C M
K W A C K S G J A J I W G Q L U G R E E
J Z J U U S B N I Z Y E W F Y N I X L K
M C X Z T S P D B C R F N T K A V I A X
X O Z T T L H U S T L E K A T Q E W G O

CROSSWORD PUZZLE

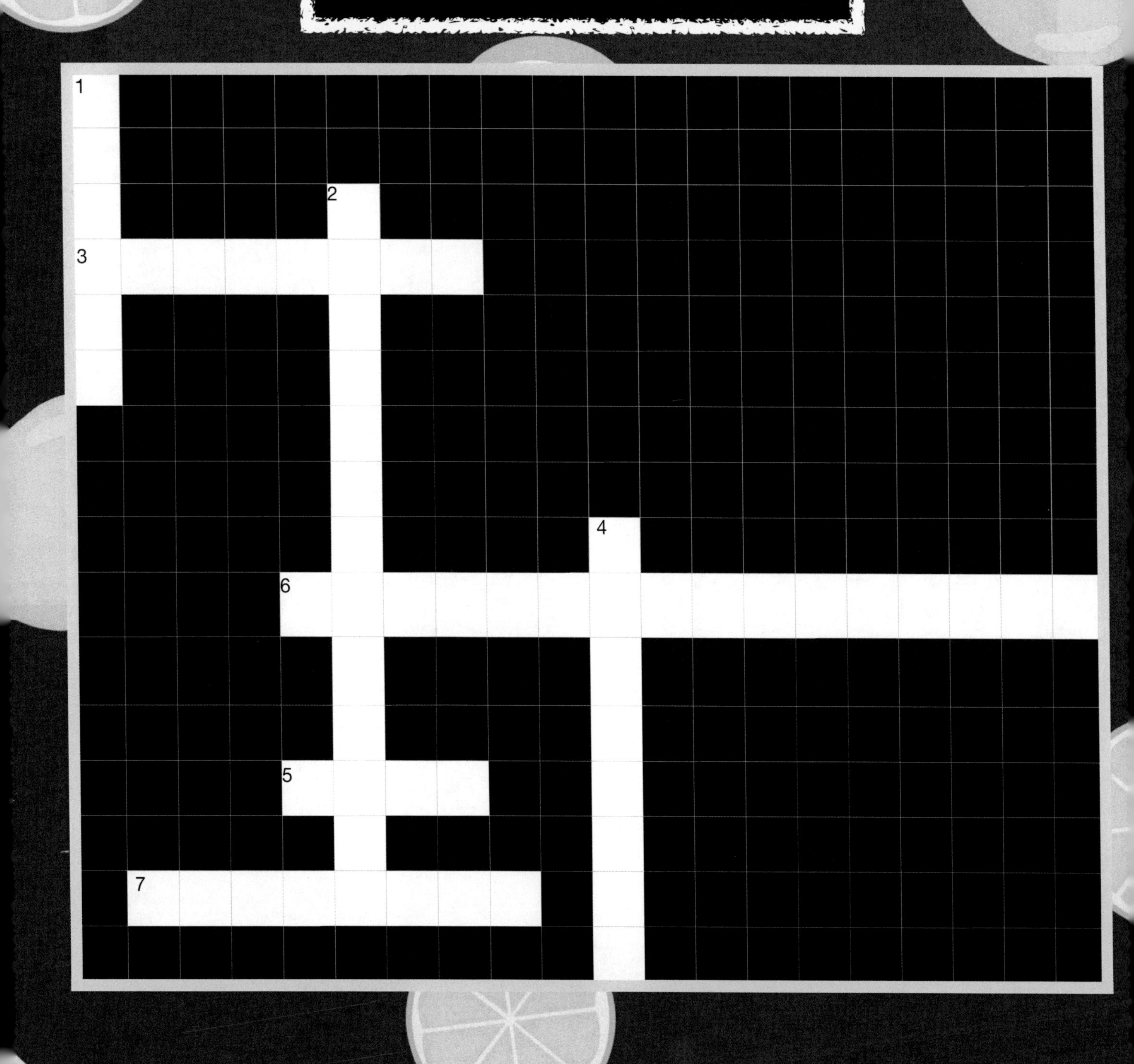

CLUES

Across

3 A drink made from lemons.

5 An emotion that makes you prioritize and care deeply for someone.

6 When passive income is more than expenses.

7 Not allowing hard times to make you negative. Controlling what you can control.

Down

1 Sustainable riches.

2 Money made with little to no effort.

4 To be friendly and understanding.

WORD BANK

FINANCIAL FREEDOM
KINDNESS
LEMONADE
LOVE
PASSIVE INCOME
PATIENCE
WEALTH

FILL IN THE BLANK

1) But would you believe me if I said, "That ______ could be ______ !"

2) ______ can't be ______ , yeah, we know that's right.

3) Be sure to ______ as much as you ______.

4) Become an ______ , that's a ______!

5) Now you make money while you ______.
Oh, what a feeling, YOU'RE ______!

BOSS
BOUGHT
FINANCIALLY FREE
GIVE
HAPPINESS

INVESTOR
PASSIVE CHECK
SLEEP
TAKE
YOU

LIST WAYS TO OBTAIN FINANCIAL FREEDOM

WORD SEARCH ANSWER KEY

```
T X F S U U G P L F X V D L M N L Z L J
V A O I J P E O Q N L V F R N Z K K X S
K L C I N K S X I F U L E Q H D A J E Y
H R B X G A W G B Q U B Q Q R V E O T Z
I T N O C J N E Q A E Z Q L X V O I N P
R Z A M S L G C A A A C V E W Q M D U A
R J T G X S H F I L U A V M S D T V I S
C F E L G I P X Q A T L W O V I Z X M S
A W A X H L R G B I L H I N M W O G U I
T Y M N P H Z N B N Z F S A Q N L P I V
Q F H D S A V H G Z C Q R D L N C J Y E
K M Y G C P O O Y C U N G E C I U P V I
P Y I V Z P Q V L O V E H M E A D B W N
W Y H Q C I G S K F W W Z F T D O D V C
S P O Q C N S H X Y Z X S K L S O U U O
O Q T R J E W C R I N V E S T U I M C M
K W A C K S G J A J I W G Q L U G R E E
J Z J U U S B N I Z Y E W F Y N I X L K
M C X Z T S P D B C R F N T K A V I A X
X O Z T T L H U S T L E K A T Q E W G O
```

CROSSWORD PUZZLE ANSWER KEY

WEALTH

LEMONADE

PASSIVE INCOME

KINDNESS

FINANCIAL FREEDOM

LOVE

PATIENCE

GLOSSARY

Boss: A person in control of a business.

Business: A trade used to make money.

Encourage: To give hope and confidence.

Financially Free: You are financially free when your passive income is more than your expenses.

Financial Stability: Being comfortable with how much money you have.

Hustle: Work hard.

Increase: Grow.

Investor: A person that puts money towards someone or something with expectations of their money increasing.

Wealth: Sustainable riches.

Passive Income/Passive Check: Money made with little to no effort.